D0522106

Le Rossignol
de l'Empereur de Chine

D'APRÈS

Hans Christian Andersen

ILLUSTRATIONS

Catherine Huerta

Mango

Adaptation Fiona Black
Traduction Ariane Bataille
© Editions Mango 1993 pour la langue française
The Nightingale copyright © 1992 by Armand Eisen
Dépôt légal : janvier 1994
ISBN 2 7404 0250 3

Le Rossignol
de l'Empereur de Chine

Il était une fois, en Chine, un empereur qui
vivait dans un palais tout en porcelaine de la
plus grande finesse. Aux abords du palais,
poussaient dans de majestueux jardins des
plantes somptueuses et des fleurs des plus rares.
Au-delà de ces jardins, s'étendait jusqu'à la mer
une immense forêt de pins. Au cœur de cette
forêt, vivait un merveilleux petit rossignol.

Le chant de ce rossignol était si beau que
quiconque l'entendait une fois ne pouvait plus
jamais l'oublier.

Les pauvres pêcheurs qui passaient leurs
journées à plonger leurs filets dans la mer
cessaient de travailler dès qu'ils l'entendaient
chanter. "Quelle merveille !" soupiraient-ils,
à tel point séduits par la mélodie qu'ils en
oubliaient tous leurs soucis.

Des voyageurs venaient de très loin pour visiter
la cité impériale et admirer le palais de porcelaine
fine qui se dressait au milieu de ces jardins d'une
rare beauté. Mais, dès qu'ils entendaient
le rossignol chanter, tous s'exclamaient :
"Ceci est la merveille des merveilles."

Des poètes célébraient dans leurs ouvrages
les beautés du palais de l'empereur et ses jardins
éblouissants, mais l'objet de leurs louanges
les plus vives était toujours le chant exquis
du rossignol.

Un beau jour, l'un de ces poèmes tomba
entre les mains de l'empereur. " Voilà qui est
extraordinaire ! s'exclama-t-il.
Ce poète affirme que, de
toutes les merveilles de
mon royaume, aucune
n'égale le chant du
rossignol ! Pourquoi
ne m'a-t-on
jamais parlé de
cet oiseau ?"

Il convoqua sur-le-champ tous ses ministres
et courtisans et les interrogea sur le rossignol.
Aucun n'en avait jamais entendu parler.
Pas plus que les dames d'honneur, les nobles
seigneurs, les valets et les cuisiniers.

A tout hasard, l'un des courtisans questionna
une jeune servante.

" Le rossignol ! s'écria-t-elle. Je le connais
très bien. Tous les soirs, je vais rendre visite
à ma vieille mère qui habite au bord de l'eau.
Quand j'arrive à la lisière de la forêt, je me sens
lasse et triste. C'est
alors que j'entends
son chant ; il est si
beau que les larmes
me montent aux
yeux."

Très intrigué par ce qu'il venait d'entendre,
le courtisan demanda à la servante
de le conduire sans tarder jusqu'au rossignol.

La servante, le courtisan ainsi que plusieurs
dames d'honneur se mirent alors en route.

Ils n'avaient fait que quelques pas quand
une vache se mit à meugler dans un pré voisin.

"Ah ! ce doit être le rossignol ! s'écria
le courtisan. Je l'ai déjà entendu chanter.
Quelle puissance dans un si petit corps !

– Mais non ! dit la servante. Ce n'est pas
le rossignol !

Ce n'est qu'une vache que vous entendez
meugler. Il nous reste encore un long chemin
à parcourir."

Un peu plus loin, ils passèrent devant une
mare où coassaient des grenouilles.

"Ah ! voici le rossignol ! s'exclama
le courtisan. Quelle merveille ! On croirait
entendre un son de cloche !

– Mais ce n'est pas le rossignol, répondit en
riant la servante. Patience, nous allons bientôt
le trouver. Regardez, le voici !"

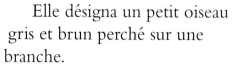

Elle désigna un petit oiseau gris et brun perché sur une branche.

"Comme il est vilain ! s'écrièrent les dames d'honneur. Qui aurait pu imaginer qu'un rossignol ait l'air si... triste !"

Le rossignol se mit alors à chanter et sa mélodie envoûtante emplit toute la forêt.

"Ah ! murmurèrent les dames d'honneur. Quel enchantement !

– En effet, soupira le courtisan. On croirait entendre tinter des clochettes de verre !"

Et il s'adressa ainsi à l'oiseau :

"Bonjour, rossignol, nous sommes venus te demander de chanter pour l'empereur.

– Tout de suite ? demanda le rossignol.

– Oh non ! répondit le courtisan. Présente-toi ce soir à la cour. Là, tu chanteras pour l'empereur.

– Mon chant est plus beau dans la forêt, mais si tel est le souhait de l'empereur, je me rendrai au palais."

Le soir venu, le palais fut illuminé de lanternes de toutes les couleurs et décoré de rubans d'or et d'argent en l'honneur du rossignol.

Dans la salle du trône, toute la cour s'était rassemblée autour de l'empereur. Chacun avait revêtu ses plus beaux atours. Un perchoir en or avait été placé à côté du trône pour le rossignol. Le petit oiseau gris et brun arriva enfin par la fenêtre ouverte, s'installa sur le perchoir et commença à chanter.

Aussi pur qu'une claire matinée de printemps, son chant émut profondément l'assistance. L'empereur s'était penché en avant pour mieux l'écouter. Des larmes coulèrent le long de ses joues.

Quand l'oiseau eut fini de chanter, l'empereur déclara qu'il n'avait jamais rien entendu de plus beau et voulut lui offrir sa pantoufle d'or.

Le rossignol secoua la tête.

" Les larmes que j'ai vues dans tes yeux sont une plus grande récompense pour moi", dit-il.

Il chanta de nouveau, encore mieux que la première fois. Puis il s'envola vers la forêt.

Toute la cour, éblouie, ne parlait plus que de lui. Quelques dames d'honneur essayèrent de l'imiter en se mettant de l'eau dans la bouche pour pousser des roucoulades.

L'empereur annonça alors que le rossignol disposerait à la cour d'une cage en or et de douze valets pour le servir.

Le petit oiseau revint chanter tous les soirs et chacun s'extasiait sur ce chant d'une merveille inégalable.

Un jour cependant, l'empereur reçut,
de l'empereur du Japon, un gros paquet sur
lequel s'inscrivait en lettres d'or : *Rossignol*.

Dans le coffret, il découvrit un rossignol
mécanique tout en or et pierres précieuses.
Quand il le remonta, l'oiseau se mit à chanter
comme le vrai et à balancer sa queue au rythme
de la musique.

"Magnifique ! s'écrièrent les courtisans.
Faites-le chanter en même temps que le vrai
et nous aurons un duo sublime."

Les deux oiseaux chantèrent en effet
ensemble, mais hélas ! pas très juste.
Alors que le véritable rossignol variait à chaque
fois sa mélodie, l'oiseau mécanique, lui,
ne connaissait qu'un seul air.

"Quelle jolie musique, si régulière ! remarqua le maître de musique de l'empereur. Des plus rafraîchissantes."

Les courtisans étaient tous de son avis et réclamèrent avec insistance qu'on laissât l'oiseau mécanique chanter seul.

Le rossignol d'or chanta donc et tous les courtisans déclarèrent qu'il chantait aussi bien que le vrai.

"Et il est tellement plus beau !" murmuraient les dames d'honneur en clignant des yeux devant ses étincelantes ailes serties de pierres précieuses. On le remonta. Il chanta trente-trois fois de suite le même air. Tout le monde l'aurait écouté encore volontiers quand l'empereur

déclara que c'était au
tour du vrai rossignol
de chanter.

On le chercha
partout, en vain. Il
s'était envolé par la
fenêtre ouverte pour
rentrer chez lui, dans
la forêt.

"Quel ingrat ! persiflèrent les courtisans.
Mais qu'importe, il nous reste le meilleur."

C'est ainsi que le vrai rossignol fut banni du
royaume et l'oiseau mécanique enfermé dans
une cage en or, à côté du trône de l'empereur,
et chaque soir, la cour se rassemblait pour
l'écouter chanter.

Un an s'écoula. Le rossignol d'or chantait
tous les jours. Chacun connaissait par cœur
sa mélodie et, pouvant chanter en même temps,
ne l'en aimait que davantage.

Mais un beau soir, alors que l'empereur venait de le remonter, l'oiseau, au lieu de chanter, émit un grincement et s'arrêta subitement. Il était cassé.

L'empereur convoqua alors les meilleurs horlogers du royaume qui l'examinèrent avec soin et le rafistolèrent afin qu'il puisse de nouveau fonctionner. Hélas ! le diagnostic fut attristant : il ne pourrait chanter qu'une fois par an.

Cinq années s'écoulèrent encore avant que le royaume ne fût plongé dans une douleur bien plus grande : l'empereur tomba malade et on

craignit beaucoup pour sa vie. Son peuple, qui l'adorait, était désespéré.

Alité dans sa chambre, l'empereur était si pâle et si immobile qu'on fut bientôt certain que sa fin était proche.

Alors, tous les nobles seigneurs et les dames d'honneur se hâtèrent d'aller présenter leurs hommages à son successeur.

Pendant ce temps, seul dans sa superbe chambre, l'empereur était allongé sur son grand lit en or avec, à son côté, le rossignol mécanique, muet dans sa belle cage.

L'empereur avait du mal à respirer, un poids lui écrasait la poitrine. En ouvrant les yeux, il aperçut la Mort, assise près de son lit.

D'étranges personnages firent alors leur apparition dans la pièce et se penchèrent pour lui murmurer des paroles. Certains étaient aimables, d'autres cruels. C'était ses actions passées – les bonnes et les mauvaises – venues le hanter maintenant que sa mort approchait.

"Te souviens-tu de ceci, te souviens-tu de cela ?" chuchotaient-elles à son oreille.

"Si seulement il y avait de la musique, se plaignit l'empereur, je n'entendrais plus ces maudites voix." Il se tourna difficilement vers le rossignol en or.

"Chante, supplia-t-il, chante pour moi qui t'ai couvert d'or. Chante pour apaiser mon âme, qu'elle puisse entendre quelque musique avant d'expirer !"

Mais le rossignol en or demeura muet. Il n'y avait personne pour le remonter. La chambre était froide et silencieuse. La mort s'approcha alors sans bruit et le fixa de ses grands yeux vides.

Soudain, une douce mélodie se fit entendre par la fenêtre ouverte. C'était le vrai rossignol qui, ayant entendu dire que l'empereur était très souffrant, venait chanter pour lui.

Il lui chanta le printemps, les bourgeons qui éclatent sur les arbres, la rosée sur les premières fleurs, la brume matinale qui enveloppe les paysages au loin.

Alors, l'empereur sentit son sang circuler plus vite dans ses veines, ses joues reprirent des couleurs. Il put même s'asseoir sur son lit pour mieux savourer le chant du rossignol. Même la Mort, charmée, le pria de continuer à chanter.

Le rossignol chanta donc le calme des cimetières où poussent les roses blanches et les cours d'eau paisibles dans lesquels les saules trempent leurs branches.

Lassée, la Mort souhaita retrouver la froide tranquillité de ses propres jardins et se glissa hors de la chambre de l'empereur par la fenêtre ouverte. Sentant ses forces revenir, l'empereur s'écria : "Comment te remercier, cher rossignol ? Je t'ai chassé de mon royaume et tu y reviens pour me sauver la vie ? Demande-moi tout ce que tu voudras et tu l'obtiendras immédiatement.

— Tu as pleuré la première fois que j'ai chanté pour toi, et cette récompense me suffit. Laisse-moi simplement venir à ta fenêtre chanter des choses gaies, des choses tristes aussi. Ainsi, tu apprendras tout ce qui se passe dans ton royaume. Mais surtout, ne raconte jamais à personne que c'est un petit oiseau qui te dit tout.

— C'est entendu", répondit l'empereur.

Le rossignol recommença alors à chanter tout doucement et l'empereur s'endormit d'un sommeil réparateur.

Le lendemain matin, lorsque le soleil se leva, les serviteurs de l'empereur entrèrent dans sa chambre; ils s'attendaient à le trouver sans vie. Quelle ne fut leur surprise ! L'empereur était debout, vêtu de son costume impérial et la main fièrement posée sur son sabre d'or :

"Allez, serviteurs ! Allez annoncer à mon peuple et à mes sujets que je suis guéri et que nous allons organiser une grande fête à travers tout le royaume pour célébrer mon rétablissement !"